RILY

Straeon Bach y Byd ...

Yr Aderyn Bach

Mae adain Aderyn Bach wedi torri ac all e ddim hedfan i'r de gyda'r adar eraill.
Wrth i wyntoedd oer y gogledd ddechrau chwythu, a fydd Aderyn Bach
yn dod o hyd i gysgod a charedigrwydd yn y goedwig?

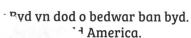

Byd yn dod o bedwar ban byd.
America.

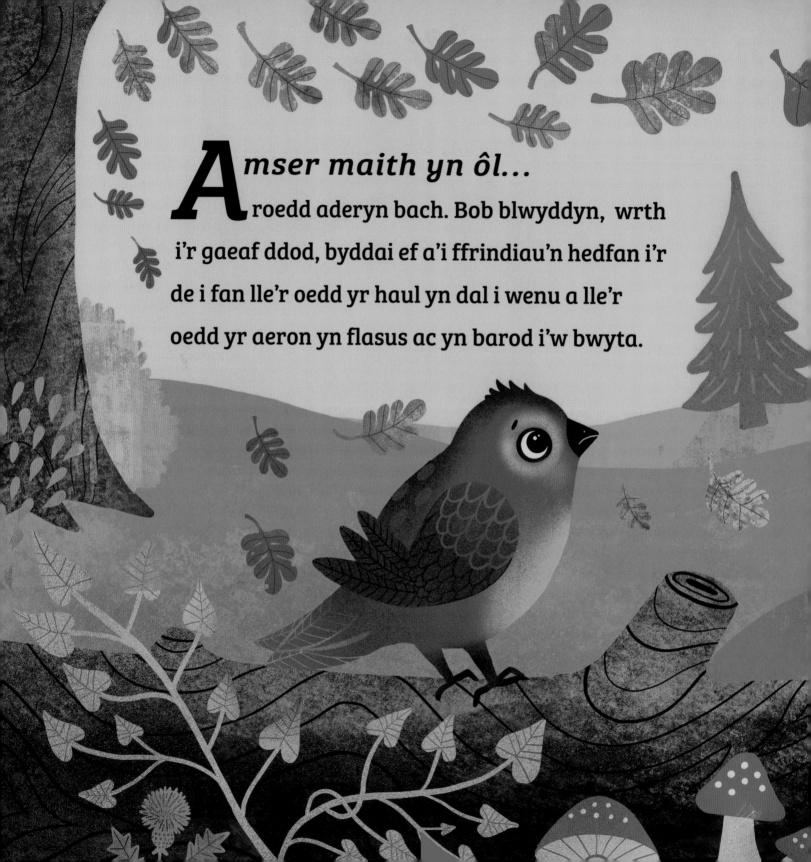

Amser maith yn ôl...

roedd aderyn bach. Bob blwyddyn, wrth i'r gaeaf ddod, byddai ef a'i ffrindiau'n hedfan i'r de i fan lle'r oedd yr haul yn dal i wenu a lle'r oedd yr aeron yn flasus ac yn barod i'w bwyta.

Ond, eleni, roedd Aderyn Bach wedi torri ei adain. Roedd rhaid iddo aros gartref, a gwylio ei ffrindiau'n hedfan i ffwrdd i'r de hebddo.

Roedd Aderyn Bach yn gwybod
bod rhaid iddo ddod o hyd i
gartref clyd ar gyfer y gaeaf.
Felly, herciodd i ymyl y goedwig
a gwelodd helygen yn tyfu'n braf.
"A wnei di roi cysgod i fi?" gofynnodd.

Dyma'r helygen yn ysgwyd ei changhennau.
"Does gen i ddim amser i edrych ar dy ôl di,"
meddai. "Dwi'n rhy brysur yn gofalu
amdana i fy hun."

Herciodd Aderyn Bach
yn ei flaen a gwelodd
fedwen arian.
"Ga i gysgodi yn dy
frigau di?" gofynnodd.

Ysgydwodd y fedwen
arian ei dail.
"Mae cân yr adar yn
rhy swnllyd o lawer,"
sibrydodd. "Dwi'n hoffi
heddwch a thawelwch."

Felly, herciodd Aderyn Bach yn
ei flaen ychydig ymhellach tan
iddo weld derwen fawr gadarn.
"A wnei di roi cysgod i fi?"
gofynnodd.

Ysgydwodd y dderwen
ei changhennau.
"Na wna i wir!" bloeddiodd.
"Byddi di'n bwyta fy mes i gyd."

Erbyn hyn, roedd gwynt
oer yn chwythu a dyma
hi'n dechrau bwrw eira.
"Beth yn y byd wna i?"
pendronodd Aderyn Bach.
Roedd e'n dechrau poeni
na fyddai e byth yn dod o
hyd i gysgod, pan glywodd
leisiau caredig yn galw arno.

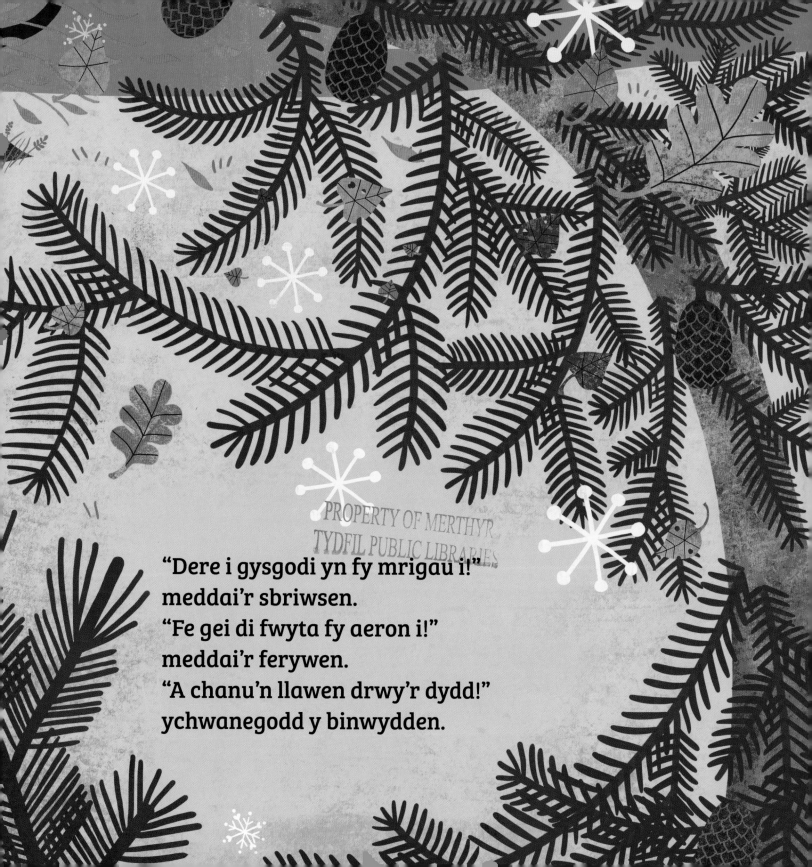

"Dere i gysgodi yn fy mrigau i!"
meddai'r sbriwsen.
"Fe gei di fwyta fy aeron i!"
meddai'r ferywen.
"A chanu'n llawen drwy'r dydd!"
ychwanegodd y binwydden.

Felly, dyma Aderyn Bach yn dod o hyd i gornel fach glyd ym mrigau'r sbriwsen. Bwytodd rai o aeron y ferywen, ac yna canodd gân i'r binwydden.

Y noson honno, rhuodd y gwynt gan chwythu'r dail oddi ar bob coeden yn y goedwig. Ond rhoddodd y gwynt lonydd i'r sbriwsen, y ferywen a'r binwydden gan eu bod wedi bod mor garedig wrth Aderyn Bach. Maen nhw wedi cadw eu dail pob gaeaf ers hynny.

Dysga am y stori

Byddai stori'r Aderyn Bach yn chwilio
am gysgod yn cael ei hadrodd gan y
bobl gyntaf i fyw yng Ngogledd America.
Credir bod y stori yn perthyn i'r
Anishinaabe, sef llwyth o bobloedd
frodorol sy'n byw yng Ngogledd America.

Gogledd America

Mae llawer o adar
yn hedfan i fannau
cynhesach y byd pan
fydd hi'n oeri. Mudo
yw'r enw ar hynny.

Merywen

Mae dau brif fath o goeden – collddail
a bythwyrdd. Mae coed bythwyrdd
yn cadw eu dail drwy'r flwyddyn.

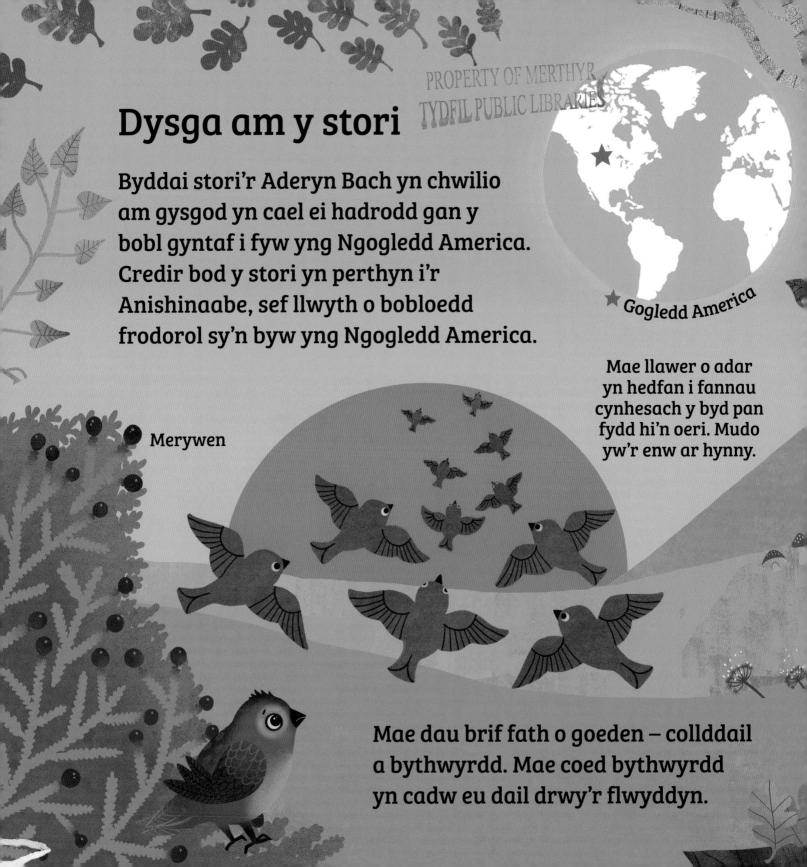

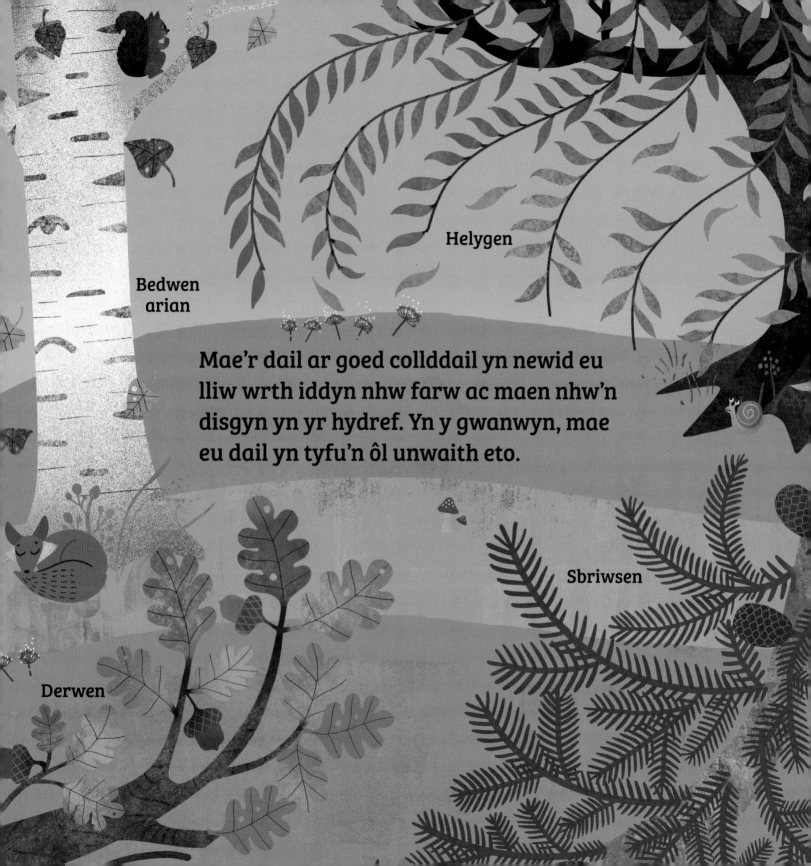

Helygen

Bedwen arian

Mae'r dail ar goed collddail yn newid eu lliw wrth iddyn nhw farw ac maen nhw'n disgyn yn yr hydref. Yn y gwanwyn, mae eu dail yn tyfu'n ôl unwaith eto.

Sbriwsen

Derwen

Straeon, mythau a chwedlau

Mae chwedlau a straeon gwerin yn rhan bwysig o ddiwylliant pob gwlad. Mae'r straeon hyn wedi'u llefaru a'u trosglwyddo o genhedlaeth i genhedlaeth dros nifer fawr o flynyddoedd, ac maen nhw wedi esblygu a newid dros y canrifoedd.

Mae pob stori yn cynnwys neges am y ffordd rydyn ni'n byw ein bywydau. Mae'r neges neu'r wers yn ein hatgoffa ni, pwy bynnag ydyn ni, ble bynnag yn y byd rydyn ni'n byw, rydyn ni i gyd yn meddwl ac yn teimlo, ac rydyn ni i gyd yn wynebu heriau.

Mae cariad, caredigrwydd, rhannu a gobaith yn ddiderfyn. Nid oes ffiniau, ac ni all unrhyw linell ar fap eu gwahanu. Gall gwybod y gwirionedd hwn uno'r byd ac mae'n ein hatgoffa nad ydym ar ein pennau ein hunain. Rydyn ni wir yn perthyn, pwy bynnag ydyn ni, ac o ble bynnag rydyn ni'n dod. Gallwn drysori ein gwahaniaethau a dathlu'r hyn sy'n ein huno.

Hefyd yn y gyfres

Cyhoeddwyd gan Rily Publications Ltd. 2023
Blwch Post 257, Caerffili CF83 9FL
Hawlfraint yr addasiad © Rily Publications Ltd 2023
Addasiad gan Anna Gruffudd-Fleming
Darluniwyd gan Maja Andersen

Cyhoeddwyd gyntaf yn y DU yn 2021 dan y teitl *Once Upon a Time … there was a Little Bird*
gan Dorling Kindersley Limited, rhan o gwmni Penguin Random House Limited,
One Embassy Gardens, 8 Viaduct Gardens, Llundain, SW11 7BW.
Hawlfraint © Kathryn Jewitt / Raspberry Books 2021

Mae'r cyhoeddwr yn cydnabod cefnogaeth ariannol Cyngor Llyfrau Cymru.

Argraffwyd yn China.

rily.co.uk

FSC
www.fsc.org

CYMYSGEDD
Papur o
ffynonellau cyfrifol
FSC® C020056

RILY

Stories from around the World...

The Little Bird

Little Bird's wing is broken and he can't fly south with the other birds.
As the cold north winds begin to blow, will Little Bird
find shelter and kindness in the forest?

The Stories from around the World come from all over the globe.
This story comes from North America.

Once upon a time...
there was a little bird. Each year when
when winter came, he and his friends flew
south to a place where the Sun was still
shining, and the berries were ripe and round.

But this year, Little Bird had a broken wing. He had to stay behind, while his friends flew south.

Little Bird knew he had to find
a warm home for the winter.
So, he hopped to the edge of the
forest where a willow tree grew.
"Will you give me shelter?"
he asked.

The willow shook his branches.
"I've no time to look after you," he said.
"I'm too busy taking care of myself."

Little Bird hopped on further until he came to a silver birch tree. "May I shelter in your branches?" he asked.

The silver birch
shook her leaves.
"Birds sing too loudly,"
she whispered. "I like
peace and quiet."

So, Little Bird hopped on
further until he came
to a mighty oak tree.
"Will you give me shelter?"
he asked.

The oak shook his boughs.
"Certainly not!" he boomed.
"You'll eat all my acorns."

By now, a cold wind
was blowing, and it
had started to snow.
"Whatever will I do?"
Little Bird wondered.
He was beginning to
worry that he'd never
find shelter, when he heard
some kind voices calling to him.

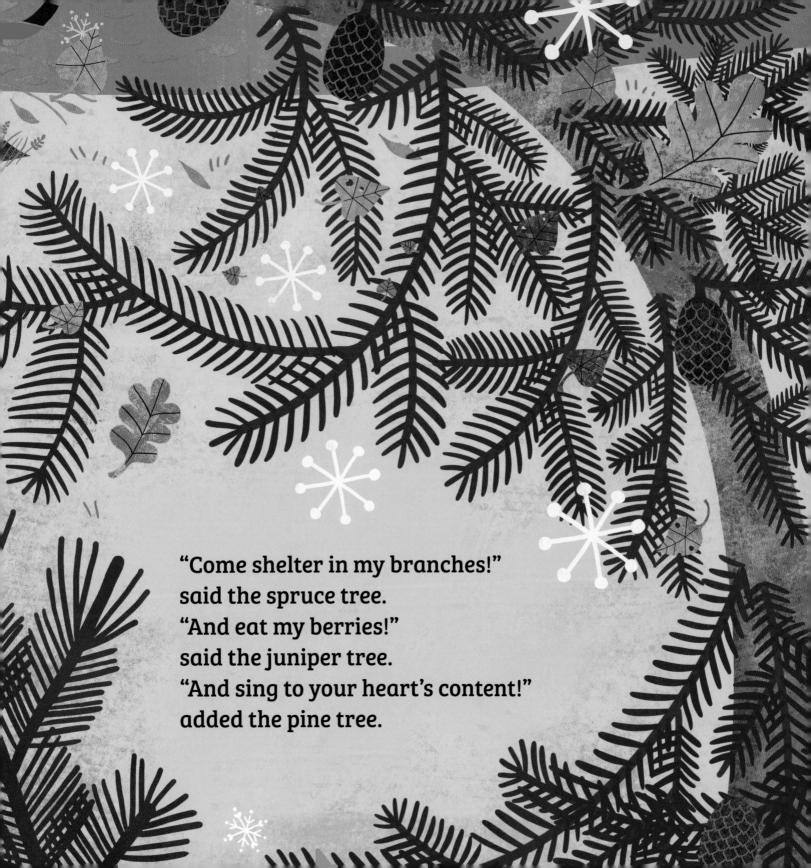

"Come shelter in my branches!"
said the spruce tree.
"And eat my berries!"
said the juniper tree.
"And sing to your heart's content!"
added the pine tree.

So, Little Bird found a cosy nook in
the branches of the spruce tree.
He ate some juniper berries, and
then sang a song for the pine tree.

That night, the wind howled and blew the leaves from every tree in the forest. But it left the spruce, the juniper, and the pine alone, because of their kindness to Little Bird. They have kept their leaves in winter ever since.

Learn about the story

The story of Little Bird and his search for shelter was originally told by the first people to live in North America. It is thought that the tale is from the Anishinaabe, a group of Indigenous Peoples that live in North America.

North America

Many birds fly to warmer parts of the world when it gets cold. This is called migration.

Juniper tree

There are two main types of tree – deciduous and evergreen. Evergreen trees keep their leaves all year round.

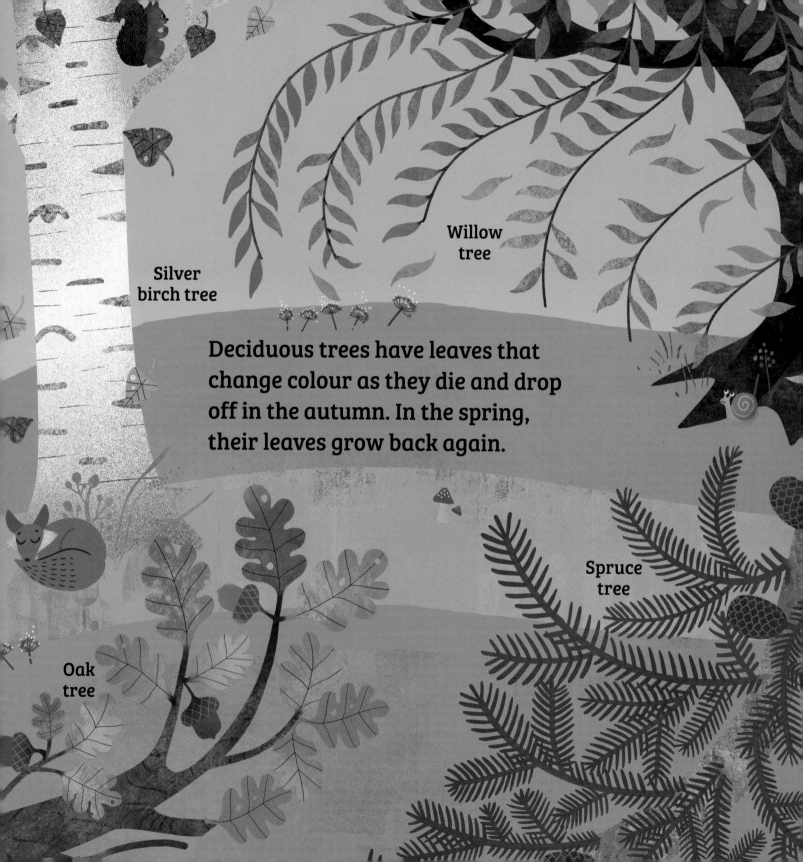

Willow tree

Silver birch tree

Deciduous trees have leaves that change colour as they die and drop off in the autumn. In the spring, their leaves grow back again.

Spruce tree

Oak tree

Stories, myths, and legends

Folk tales and stories form an important part of a country's culture. These stories have been handed down over many, many years, from generation to generation – usually verbally – and have evolved and changed over the centuries.

Each story holds a message about the way we live our lives. The message or lesson reminds us that whoever we are, wherever in the world we live, we all think and feel, and we all face challenges.

Love, kindness, sharing, and hope know no limits and have no boundaries. No line on a map can separate them. Knowing this truth can unite the world and remind us that we are not alone. We really do belong, whoever we are, and wherever we are from.

We can treasure our differences and celebrate that which unites us.

Also in the series

Published by Rily Publications Ltd. 2023
PO Box 257, Caerphilly CF83 9FL
Translation Copyright © Rily Publications, 2023
Adaptation by Anna Gruffudd-Fleming
Illustrated by Maja Andersen

First published in the UK in 2021 under the title *Once Upon a Time … there was a Little Bird*
by Dorling Kindersley Limited, part of Penguin Random House Limited,
One Embassy Gardens, 8 Viaduct Gardens, London, SW11 7BW.
Copyright © Kathryn Jewitt / Raspberry Books 2021

The publisher acknowledges the financial support of the Books Council of Wales.

Printed in China.

rily.co.uk

FSC
www.fsc.org
MIX
Paper from responsible sources
FSC® C020056